KB171644

마음을 쓰다

마음을 쓰다

발　행 | 2024년 07월 16일
저　자 | 월암중학교 '책을 쓰다' 동아리 학생들
펴낸이 | 한건희
펴낸곳 | 주식회사 부크크
출판사등록 | 2014.07.15.(제2014-16호)
주　소 | 서울특별시 금천구 가산디지털1로 119 SK트윈타워 A동 305호
전　화 | 1670-8316
이메일 | info@bookk.co.kr

ISBN | 979-11-410-9557-4

www.bookk.co.kr

마음을 쓰다

월암중학교 '책을 쓰다' 동아리 학생들 지음

CONTENT

머리말 5

제1부 '나'의 마음 7

제2부 '너'의 마음 51

제3부 '우리'의 마음 93

월암중학교의 '책을 쓰다' 동아리 학생들이 직접 창작한 시를 모아둔 시집 '마음을 쓰다'를 소개합니다.

동아리 아이들과 함께 첫 시간에 '시'에 대해 이야기를 나누었습니다. 아이들에게 '시'란 국어 공부를 할 때 접했던, 외워야 하는 짜증 나는 대상이라는 이야기를 해주었습니다. 국어 교사로서 아이들의 발언에 속상하기도 했고 미안하기도 하고 책임감이 드는 말이었습니다.

그래서 적어도 동아리 시간만큼은 시가 짜증 나거나 어렵거나 해석하고 외워야 하는 대상이 아닌, 내 감정과 내 마음을 담아내고 쏟아 낼 수 있는 일기장으로 생각하자고 이야기했습니다. 그리고 아이들에게 '책을 쓰다' 동아리의 올해 목표를 2가지를 설명했습니다.

첫째, 시에 대한 거부감을 없애 보자!
둘째, 우리만의 시집을 한번 만들어 보자!

아이들은 시를 쓰는 동안 '나', '너', '우리'의 생각과 감정을 돌아보고 이를 표현했습니다. 그 과정에서 본인도 인지하지 못했던 생각과 감정을 마주하기도 하고, 그 과정을 자유롭

게 표현하며 웃기도 하였고, 울기도 하였습니다.

이 책을 출판하며 동아리 아이들에게 자신 있게 이야기 해 주었습니다. 우리가 동아리 시작하기 전에 이야기했던 두 가지 목표 그 이상을 이뤄낸 것 같다고. 시에 대한 거부감을 없앴고, 우리만의 시집을 만들었고, 그 과정에서 여러분들의 마음을 돌아보고 위로받는 시간이 되었다고.

'시'를 즐기지 못하게 만들었던 국어 교사로서 미안함을 담아 '시'로 위로받는 순간이었기를 바라며 동아리 학생들에게 이 책을 바칩니다.

'책을 쓰다' 동아리 담당 교사
이 하 경

제 1 부 ‘나’의 마음

<해바라기>

이현아

남들이 하는 대로
부대끼며 사는
해바라기 인생

그럼 난 다른 해바라기들과 달리
땅을 봐야겠다.

<시와 관련된 짧은 나의 이야기>

모두가 비슷한 목표를 가지고 비슷한 하루를 보냅니다. 그 아이들과 다르고 싶다는 생각을 했습니다. 누군가에게는 독특해 보이더라도 땅을 볼 수 있는 사람이 되었으면 하는 마음을 담았습니다.

<가시면류관>

이인성

자유로워지기 전까지
나를 가둬야만 한다

면류관을 쓰게 된다면
그때는
고통을 면치 못하리

면류관을 쓰게 된다면
그제서야
나를 보게 되리라

면류관으로써 해방된
하얀 옷을입은 생명을

<시와 관련된 짧은 나의 이야기>

나는 연금술사라는 책을 좋아한다. 나를 듣고 나를 믿은 사람의 이야기다. 이 시의 자유로움은 사고의 자유로움을 의미한다. 하지만 자유로움을 얻음으로써 쓰게 되는 면류관은 고통을 동반한다. 그와 동시에 나를 믿고 보게 될 것이다. 그 후의 나는 이전의 나라고 할 수 있는 내가 될 것이다.

<공부>

정민준

내려놓으면 편하다
너무 힘들어하지 마라
인생은 뜻대로 되지 않는다

그렇다고 시도도 하지 않고
포기한 자는
진정한 패배자다.

엄마는 나에게 항상 말한다
'커서 일해봐라. 지금 네가 하는 공부가 제일 편하다.'
고
그러나 공부,
결코 쉽지 않다.

<시와 관련된 짧은 나의 이야기>

모든 사람에게 공부가 길은 아니다. 그러니 너무 힘들면 다른 길을 찾아봐도 된다. 세상은 원하는 대로 되지 않는다. 그렇다고 열심히 하지도 않고 포기하는 것이면 그것이 진정한 패배자라는 생각을 했다.

<여유>

김민준

삶에는 여유가 필요하다

여유란 필요할까
정신없이
흘러가는
바쁜 인생 속에
여유가
꼭 필요할까

여유를 진심으로 느낄 수 있는 자는
그만큼 책임감도 있는 것이 아닐까

<시와 관련된 짧은 나의 이야기>
삶에는 여유가 항상 꼭 필요하다고 생각했다. 그런데 해야 할 것 많은 각박한 사회에서 여유가 꼭 필요한지에 대한 의문이 들었다. 그리고 이 바쁜 사회에서 여유를 느낄 수 있는 자는 오히려 현실에서의 일도 해결할 수 있는 책임감이 있는 사람이라 생각했다.

<가로등>

김민아

힘든 하루를 마치고
터벅터벅 집으로 돌아가는
어두운 나의 길을
환한 빛으로 밝힌다.

깜빡일 때면
내가 너의 가로등이 되어 줄게

<시와 관련된 짧은 나의 이야기>

친구를 가로등에 비유했다. 어두울 때 길을 밝혀주고 나를 안심시키는 존재라는 생각을 했다. 그런 가로등이 깜빡이고 힘들어할 때 내가 도와주겠다는 이야기를 하고 싶었다. 친구란 서로에게 힘이 되고 필요한 존재라 생각하고 쓴 시이다.

<제목 없음>

이선우

나는 공부하는 것이 좋지 않다. 오랜 시간을 들여 내가 흥미 없는 내용을 외워야 하고, 부모님은 나에게 부담을 주는 공부. 행복이 성적순은 아니듯 어디까지나 하나의 길일 뿐이다. 내 길이 아니라고 생각하면 하고 싶은 것을 찾으면 될 일. 항상 가던 길이 익숙하듯이 우리는 어려서부터 관념에 따라 행동하도록 길러져 왔으나 지금은 스스로의 판단으로 결정해야 할 때. 나는 공부와 성적이 일종의 지표라 생각한다. 순위의 지표가 아닌 얼마나 사회 관념을 잘 지키고 수행하고 있는지에 대한 지표 말이다. 정말로 공부 대신 다른 것을 선택하고 싶어 공부를 소홀히 하는 것이 아니라면, 단순히 관념을 부수는 것 밖에는 되지 못한다.

<시와 관련된 짧은 나의 이야기>

이 시는 성적에 대한 생각을 토대로 쓴 것이고 성적이 높아야만 행복하진 않다는 내용을 담고 있다. 왜냐하면 사람에겐 다양한 재능과 가능성이 있으며 공부를 하지 않아도 본인의 적성을 찾아 행복해질 수 있기 때문이다.

<성적>

장민기

비가 내린다
비가 내린다

하얀 하늘에
비가 내린다

소나기
이슬비
비는 내린다

이번에도 비가 내린다

해가 뜬다
해가 뜬다
처음으로 해가 나왔다

<시와 관련된 짧은 나의 이야기>

3학년 중간고사가 끝났다. 2학년 시험에서 비가 내렸던 나의 시험지, 그리고 3학년 시험에서 해를 맛보았던 나의 시험지를 바탕으로 이 시를 썼다.

<지진과 사춘기>

박유주

많은 피해를 남기지만
지구에 대해 더 잘 알게 되는
지진처럼

나를 힘들게 만들지만
나에 대해 더 잘 알게 되는
가치 있는 시기, 사춘기

<시와 관련된 짧은 나의 이야기>

사춘기를 겪을 때는 온갖 생각이 다 들고 지금이 가장 힘든 것 같았다. 하지만 사춘기 시기가 지나 되돌아보니, 그 시기를 통해 나 자신을 발견하고 성장했던 경험이었고 이를 바탕으로 시를 썼다.

<공부>

이승택

학생이면 해야 할 공부

하기 싫고
놀고 싶고
안 해도 된다

하지만 포기해버리면
다른 일도 쉽게 포기한다

공부 못하는 사람은 없다
공부 안하는 사람만 있을뿐

<시와 관련된 짧은 나의 이야기>

공부는 하기 싫지만 포기하면 다른 일도 쉽게 포기할 수 있다는 것을 이 시를 통해 말하고 싶었다. 공부하기 싫은 마음이 드는 건 당연하다고 생각한다.

<나의 사춘기>

김지우

아..화난다….
..그냥..화난다….
가만히 있어도 화가 난다..
그냥 혼자 있고 싶다..
아무도 날 건드리지 않았으면 좋겠다
빨리 지나가면 좋겠다..
나의 사춘기

<시와 관련된 짧은 나의 이야기>

사춘기 때는 항상 뭘 하든 화가 났다. 그래서 사춘기를 떠올리며 화의 감정을 담아 시를 써 보았다.

<성적>

지선호

성적은 인생의 한 장면에 불과해
나의 가치는 그 숫자로 단정되지 않아

자신을 사랑하고 자신을 믿어
고난과 역경을 이겨내는 너의 모습을 믿어봐

<시와 관련된 짧은 나의 이야기>

나의 가치는 그 숫자로 단정되지 않는다고 적었는데 실제로 성적이 좋다고 모든 면에서 잘난 것이 아니기에 이 글이 중요하다고 생각한다.

<성적>

전승현

나무는 자라난다.
열심히 공부를 한 시간이
햇빛처럼 스며들며 자라난다.

때론 눈과 비가 내린다.
눈과 비를 맞은 나무는 더 튼튼해진다.

물과 햇빛을 열심히 받은 나무는
숲속에서 가장 높고 튼튼한 나무로 큰다.

<시와 관련된 짧은 나의 이야기>

성적이 원하는 만큼 나오지 않았지만 포기하지 않고 열심히 노력해 결국 성적이 올랐던 나의 경험을 바탕으로 썼다. 이 시를 통해 독자들에게 희망을 가지고 노력하자는 말을 전하고 싶다.

<떡락>

정소윤

오르락내리락 주식처럼
내 성적도 오르락내리락

여기서 더 떨어지지를 않길 바라며
책상에 앉아서 책을 바라본다

언젠가 지금보다 더 높은 성적을 받아
떡상 하고 싶다

<시와 관련된 짧은 나의 이야기>

쓰면서 우울했지만 어쩔 수 없는 현실이라 받아들이며 썼다. 시험을 망친 경험을 바탕으로 성적을 더 올리고 싶은 마음으로 시를 썼다.

<사춘기>

박소언

왜계속방에들어오지
왜계속뭐시키지

좀나가면좋겠다

짜증난다

알아서할수있는데
그냥다짜증난다

<시와 관련된 짧은 나의 이야기>

한참 질풍노도의 시기 때 누군가 내 방에 들어오는 게 너무 싫었다. 알아서 할 수 있는데 계속 잔소리하는 엄마가 괜히 싫었다. 나를 믿어주지 않는 것 같아 속상했던 내 심정을 시에 표현했다.

<나의 외모>

김지우

낮은 코
작은 내 눈
입꼬리가 내려간 입술
둥근 얼굴형
하나도 마음에 안든다.

다시 태어나고 싶다.

<시와 관련된 짧은 나의 이야기>
뚱뚱하다는 소리를 듣고 예쁘지 않은 코를 보면서 생각했던 것을 시로 표현했다.

<진로>

이은찬

지금은 미래에 대해 생각하면
친구들과 함께 있는 행복한 미래만
떠오르는데 동시에 불안하다.

아무리 오래 지내고 얘기해도
상대를 이해하는 것은 결국 주관적인
것이기 때문에

한순간의 불화로 친구가 없는
미래에 살지도 모른다고 생각해서 불안하다.

<시와 관련된 짧은 나의 이야기>

친구가 내 대부분을 차지하고 있다고 생각했다.

<하락세>

이혜린

성적은 오르지 않는 것
마치 내 주식처럼

중학교 1학년을 마지막으로
오른 적이 없다.

오를 수 있겠지..?

<시와 관련된 짧은 나의 이야기>
이 시는 실제 나의 성적과 아빠와 함께 해봤던 주식 투자 경험을 바탕으로 시를 썼다. 매번 오를 것이라는 기대와는 달리 내려가고 있는 중이다. 이 시를 쓸 때 내 감정은 쓸쓸했다.

<꿈을 위해 쫓아가는 나>

최성운

성적표 한 장에
담긴 나의 밤과 낮
숫자는 말하지 못해
내 꿈과 열망을

희망과 땀방울
점수에 숨겨진 나
오늘의 성적이
내일을 결정하지 않아

<시와 관련된 짧은 나의 이야기>

이시는 나의 성적이 너무 안 나와서 공부를 더 열심히 하고자 하는 마음으로 썼다. 이 시를 쓸 때 갑갑한 감정으로 시를 썼다. 나의 성적표에 희망과 빛이 있으면 좋겠다고 생각했다.

<도미노>

김민성

도미노는 아주 정성을 들여 세운다.
하지만 한번 실수하면
모조리 무너져 내린다.

성적도 그렇다.
한 번이라도 공부를 소홀히 하면
정말로 무너져 내려버린다.

도미노를 완성하면
엄청난 만족감과 행복이 몰려온다.

성적도 그렇다.
열심히 노력해 완성한 성적을 보면
말로 표현 못할 만큼 행복하다

내 인생 끝까지 함께할 도미노
끊임없이 노력하고 공들일 것이다.

<시와 관련된 짧은 나의 이야기>

나는 이 시를 쓸 때 비유할 대상을 찾기 위해 노력했다. 왜냐하면 비유를 통해 성적에 대해 표현하고 싶었기 때문이다. 또, 2학년 당시 공부를 덜 했을 때, 성적이 확연하게 떨어져 놀란 경험이 있어서 이 경험을 시에 담았다.

<성적>

백지훈

시험 성적은
나에게 스트레스이지만
어쩌면
다음 시험을 더 노력하게 해주는
도움의 손길

중간고사를 망치면
기말고사를 기대하고
더 노력할 수 있게 해주는

나의 성적

<시와 관련된 짧은 나의 이야기>

내가 시험을 망쳤을 때를 생각하며 쓴 시이다. 중간고사를 망치고 점수에 크게 실망했지만 그 점수를 보며 자극을 받아 기말고사에서 만회하고 싶단 생각을 하고 공부에 대한 의지를 다졌던 기억을 시로 표현했다. 그래서 지금 공부를 열심히 하고 있다.

<외사랑>

기민경

짝사랑보다 슬픈, 외사랑

작은 기대도
희망조차도 가질 수 없는

마치 다 시들어 버린 꽃처럼
모든 걸 다 알면서도 쉽게 포기할 수 없는

시든 꽃에 물을 주듯
나는 또 나에게 물을 준다.

<시와 관련된 짧은 나의 이야기>

다 알면서도 쉽게 포기하지 못하고 계속해서 사랑했던 경험이 떠올라서 그 경험을 시에 담았다.

제2부 '너'의 마음

<수호천사>

이현아

엄마의 손은 따뜻한 햇살처럼
날 안아주고 어루만진다.
내 모든 행동을 용서해 주고 보듬어 주는
넓은 바다 같은 엄마의 마음

날 끝없는 강물처럼
사랑을 주는 엄마 마음
나만의 수호천사

<시와 관련된 짧은 나의 이야기>

내가 어떤 행동을 하든 저희 어머니는 제 선택을 존중해 주시고 격려해 주셨습니다. 끝없는 강물처럼 사랑해 주시고 절 지켜주시는 어머니가 저에게는 수호천사보다 강하고 위대한 존재입니다.

<구(球)>

이인성

완벽한 구는 존재하지 않는다.
일 나노미터의
십 밀리미터의
백 센티미터의
흠 정도는
괜찮을 것 같다.

<시와 관련된 짧은 나의 이야기>

완벽한 구는 존재하지 않듯 완벽만을 추구하지 않고 흠을 보듬어주는 따뜻한 사람이 되고 싶다. 그런 지혜로운 사람이 될 수 있다면, 그것이 나와 너와 우리의 미래이면 좋겠다는 생각을 담았다.

<라면>

정민준

언제 먹어도 맛있는 라면
식욕을 부끄러워 마라

쉽게 잠 못 드는 밤이면
머릿속을 가득 채우는 라면
내가 제일 좋아하는 진라면 매운맛
계란 하나 풀고 파 송송

내가 내 의지대로
마음대로 할 수 있는 것은
라면을 끓이는 것뿐

어떤 스트레스에도
나를 견디게 하는 것은
라면.

<시와 관련된 짧은 나의 이야기>

내가 가장 좋아하는 음식에 대해 누군가가 물어보면 나는 라면이라고 언제든지 답할 수 있다. 그래서 라면을 생각하며 시를 썼다. 밤만 되면 머릿속으로 라면 생각이 자꾸 난다. 그렇다고 나의 식욕을 절대로 부끄러워하지 않는다. '너'도 그렇길

<영감>

김민준

언제나 새로운 인생

활기찬 순간
행복한 순간
우울한 순간

순간순간마다 많은 생각이
떠오른다

결국엔 흘러가는 인생의
마무리를 앞두고 있는
영감이 될 것이다.

<시와 관련된 짧은 나의 이야기>

인생을 살고 있으면 항상 생각하게 되고 많은 일들이 일어나고 세월은 계속해서 흘러간다. 살면서 많은 생각이 떠오른다는 것을 영감이 떠오른다고 표현하였다. 또한 많은 일들이 일어나고 한평생이 절대 끝나지 않을 것 같지만 결국 죽음을 앞둔 영감이 된 나를 생각했다.

<포도>

김민아

붉고 알이 큰 포도를
맛있다고들 한다.

정작 속은 얼마나
상한 줄도 모르고.

<시와 관련된 짧은 나의 이야기>

사람의 외관만 보고 사람을 판단하는 사람들을 이 시를 통해 비판하고 싶었다. 사람의 내면의 아름다움을 발견할 수 있는 사람들이 많은 세상이 되었으면.

<친구>

이선우

친구는 놀이방에 채워지는 놀잇감. 친구는 취향에 맞춰 어울려 놀기에 본인이 어느 정도 고를 수 있다. 어떤 놀잇감을 채워 넣느냐에 따라 공간이 엉망이 될 수도 반듯하게 될 수도 있다.

<시와 관련된 짧은 나의 이야기>

나는 어려서부터 부모님이 나쁜 친구랑 어울리지 말라 하신 것과 '친구 따라 강남 간다'는 속담을 듣고 자라며 어떤 친구를 사귀느냐에 따라 나에게 긍정적인 영향도, 악영향도 줄 수 있음을 생각하게 되었고, 이 생각을 바탕으로 이 시를 썼다.

<친구>

장민기

길에서
학교에서
어디든지
어디서든
마을에서
버스에서
생각하고
위로하는
친구

<시와 관련된 짧은 나의 이야기>

우연히 한번 인사만 했던 친구가 있었는데 같은 게임을 하며 급속도로 친해진 친구가 있다. 그 친구는 지금까지도 나의 가장 친한 친구이다. 그 친구를 생각하며 이 시를 썼다.

<계절의 선물 같은 너>

박유주

언제나 나를 따스하게 안아주는
봄날의 햇살처럼

여름비가 갠 뒤 나타나는
무지개처럼

가을 아침 아름답게 물들고 있는
단풍처럼

눈이 내려 더욱 가치 있는
성탄절처럼

계절의 선물처럼
너는 나에게 선물이다.

<시와 관련된 짧은 나의 이야기>

친구로 인해 위로받고 화려하고 아름답고 가치 있었던 나의 경험을 담아 썼다. 나를 더욱 발전하게 도와주는 친구는 나에게 예상치 못한 선물과도 같다고 생각했다. 나도 다른 친구에게 선물 같은 존재가 되어보고 싶다는 생각이 들었고 독자들도 이 시를 읽고 나를 성장하게 하는 친구를 당연하게 여기지 않았으면 좋겠다고 생각했다.

<친구>

이승택

늘 나에게 도움이 되는 사람
나에게 늘 빛을 주는 존재
저 밤하늘의 별처럼 반짝이는 존재
미울 때도 있고 상처받을 때도 있지만 그러기에 있는
“친구”

<시와 관련된 짧은 나의 이야기>

사람에게 꼭 필요한 '친구'에 대해 이야기 하고 싶었다. 싫을 때도 있고 좋을 때도 있지만 늘 나에게 도움이 되고 위로가 되는 친구에 대해 시를 썼다.

<친구>

지선호

친구는 나에게 10대의 행복이다.

친구는 학교에서 언제든지 함께하고
친구는 10대의 소중한 추억을 쌓을 수 있는

친구는 나의 10대이다.

<시와 관련된 짧은 나의 이야기>

이 시의 내용은 지금 느끼고 있는 나의 경험이자 현실이다. 시의 내용과 같이 언제든 함께하고 함께 추억을 쌓을 수 있기에 행복한 것 같다.

<별>

전승현

밤하늘에 반짝이며
같은 하늘 아래 함께 빛나

때론 구름에 가려 보이지 않아도
여전히 함께 빛나

멀리 떨어져도
같은 하늘 속
늘 함께 빛나는 별

<시와 관련된 짧은 나의 이야기>

친구가 별이라는 생각을 바탕으로 쓴 시이다. 친한 친구와 함께 있지 못하고 때론 싸워도 늘 서로 소중한 존재라는 생각을 담았다. 이 시를 쓰면서 나도 내 친구 관계에 대해 생각하였다.

<말할 수 없는 비밀>

정소윤

친구란
부모님에게
말할 수 없는 비밀을
말할 수 있는 존재

말할 수 없는 비밀을
알고 있고 지켜주는 존재

<시와 관련된 짧은 나의 이야기>

나에게 친구란 어떤 존재인지 어떤 대화를 나누었는지 생각해보았다. 이 시를 쓰면 친구는 없으면 허전할 것 같다는 생각이 들었다.

<고민>

박소언

눈도 마음에 안들고
코도 마음에 안들고
입술도 마음에 안들고
얼굴형도 마음에 안들고

다이어트도 해야 하는데
돈도 없고

연애도 하고 싶은데
마음에 드는 상대도 없고

그냥 다시 태어나야지

<시와 관련된 짧은 나의 이야기>

평소 외모 콤플렉스가 많고, 불만이 많고, 또 다이어트도 생각하지만 간절하지는 않은 것 같고, 다른 애들은 다 연애하는데 나만 못하는 것 같다는 고민을 시로 표현해 보았다.

<엄마의 잔소리>

김지우

맨날 잔소리하는 엄마...
방문 '쾅' 닫고 들어가도
혼자 거실에서 주절주절 말하는 엄마
듣기싫다..
그럴때마다
엄마가 너무 싫다

<시와 관련된 짧은 나의 이야기>

맨날 잔소리하는 엄마가 화나고 싶었다는 것을 시로 표현했다.

<친구>

이은찬

친구는 나에게 거울이다.
친구를 통해 내 잘못된 점과
부끄러운 점을 고친다.

요즘 친구 영향을 많이 받는다.
말투도 친구랑 비슷하게 변하고
친구 따라 길에 쓰레기도 줍는다.

<시와 관련된 짧은 나의 이야기>

시를 쓰면서 요즘 친구들에게 매정했다는 생각이 들었다. 미안하다. 조금만 못해도 나무라는 버릇이 있는데 고쳐야겠다고 생각했다.

<친구>

이혜린

친구는 나에게 소중한 존재이다.

만약 친구가 없다면
함께 영화 볼 존재도,
함께 부산 갈 존재도,
함께 밥 먹을 존재도,
함께 진지한 대화를 할 존재도,
함께 야구장에 갈 존재도
없어서 외로울 것 같다.

하지만 언제나 예외가 있다
멀어지고 싶은 친구는
보기 싫고,
연락하기도 싫다.

<시와 관련된 짧은 나의 이야기>

이 시를 쓸 때 그리움의 감정에 초점을 두어 시를 썼다. 지금 친구들과 다 같이 야구장도 가고 싶고, 인사이드 아웃 2, 겨울왕국 3도 개봉하면 함께 보고 싶다. 하지만 멀어지고 싶은 친구는 연락을 적당히 했으면 좋겠다는 생각이 들었다.

<사랑하는 내 친구>

최성운

네가 내 곁에 있을 때
세상은 조금 더 밝았어.
기쁨을 나누고
슬픔을 덜어주던 친구
때론 상처받아 마음 아팠지만

위로의 말 한마디에
다시 일어설 수 있어
너라는 존재가 내게 주는 의미
언제나 곁에 있어 주는
진정한 친구

<시와 관련된 짧은 나의 이야기>

시를 쓰며 친구와의 추억을 되새기면서 소중함을 느꼈다. 이 시를 쓸 때 가장 중요하게 생각했던 소재는 '진정한 친구'이고 친구라는 존재는 인간관계에서 매우 중요한 부분을 차지하기 때문이다. 이 시를 통해 독자들도 진정한 친구와 함께 위로를 느꼈으면 좋겠다.

<난로>

김민성

친구는 내게 하나의 난로와 같다
추운 겨울 나의 몸을 녹여주는
정말 따뜻한 난로

학업으로 지친 나의 마음
친구는 난로가 되어 내게 다가와
얼어붙어 있던 내 마음을 녹여준다

나도 친구들의 마음을 녹이는
따뜻한 하나의 난로가 되고 싶다

<시와 관련된 짧은 나의 이야기>

내가 힘들 때 친구들과 함께하면 힘들었던 마음이 사라지고 행복해졌던 경험이 있다. 그래서 나는 친구들과 함께하는 것의 따뜻함을 표현하였다.

<친구>

백지훈

기쁠 때 함께하고
화날 때 함께하는
없어선 안 되는 물 같은 존재

친 구

<시와 관련된 짧은 나의 이야기>

언제나 함께하는 내 친구들을 생각하면서 쓴 시이다. 이 시를 읽는 독자들도 친구들을 생각하며 이 시를 읽었으면 좋겠다.

<세상에서>

기민경

엄마는 세상에서 가장 사랑하는 사람.

엄마는 세상에서 가장 미안한 사람.

엄마는 세상에서 가장 고마운 사람.

엄마는 세상에서 가장 소중한 사람.

<시와 관련된 짧은 나의 이야기>

엄마는 나에게 가장 소중한 사람이다. 그래서 미안한 마음도, 고마운 마음도, 사랑하는 마음도 엄마를 보며 떠오르는 다양한 감정들을 시에 담았다.

제3부 '우리'의 마음

<가스레인지>

이현아

사춘기.
버튼이 눌러지고
끝없이 활활 타오른다.
버튼만 누르면 끄기도 쉽다.

그렇지만 타오른 온도만큼
남아있는 후유증

<시와 관련된 짧은 나의 이야기>

사춘기를 겪었을 때 사소한 말 한마디에도 감정이 활활 타오르며 화와 짜증을 불같이 냈었습니다. 항상 부모님께 화를 쉽게 내고 방에 혼자 들어갔고 지금은 그 행동에 미안함을 느끼고 있습니다. 소중한 사람에겐 아무리 사춘기여도 후회하지 않게 소중하게 대해야 한다는 생각을 담았습니다.

<목적>

이인성

깃발은 휘날리며
기차는 나아가며
달은 차오르며
깃발은 더 이상 휘날리지 않으며

흐르지 않는 깃발의
분신을, 나아가는 기차여

<시와 관련된 짧은 나의 이야기>

나는 꿈을 바라보며 살아왔다. 하지만 꿈을 향해 살기에는 잃을 게 너무 많다는 생각이 들었다. 하지만 나는 꿈을 버리고 기찻길 위에 있고 싶지는 않다. 목적지는 같을 수 있더라도 그 길의 향기와 바람은 느끼지 못할테니. 이것이 진장한 자유로움이 아닐까.

<사랑하는>

정민준

우리 모두에게 꼭 필요한
우리 모두에게 힘을 주는
어떨 때는 미워도
항상 나를 사랑을 주는

힘든 난관을 거칠 때
생각이 나는
생각나면 힘이 나는
사랑하는 가족

<시와 관련된 짧은 나의 이야기>

나는 가족에 대해 골똘히 생각을 해보았다. 가족은 나에게 어떤 존재일까? 나는 생각했다. 나를 항상 사랑해 주는 존재는 가족임을 깨달았다. 그리고 어떠한 힘든 상황과 고난이 있을 때도 가장 먼저 생각나는 것 역시 가족임을.

<고통>

김민준

고통은 삶이다.

무엇을 하려면
귀찮고
하기 싫고
화도 나고
스트레스지만

살아있다는
증거이다.

<시와 관련된 짧은 나의 이야기>

살다 보면 하기 싫은 일도 많고 화도 나고 스트레스도 많이 받는다. 그렇지만 이러한 감정을 느낄 수 있는 것은 살아있기에 가능한 귀중한 감정이다.

<수도꼭지>

김민아

막힌 수도꼭지처럼
우리는 말이 없다.

녹이 슬어버린 수도꼭지

수도꼭지를 뚫고
녹을 닦아
막힘없는 물이 되고 싶다.

<시와 관련된 짧은 나의 이야기>

내가 중학생이 되면서 가족 간의 대화가 많이 줄었다. 가족보다 친구와 말이 더 잘 통한다고 느꼈고, 집에서 스마트폰을 많이 사용하기 시작했기 때문일까. 대화가 줄어든 가족의 상황을 녹이 슬고 꽉 막힌 수도꼭지로 비유해 표현했다. 수도꼭지를 뚫어 가족 간의 대화했으면 하는 마음을 담았다.

<미래의 나의 모습>

이선우

미래의 나. 아직 알 수 없다. 하지만 현재의 모습을 통해 짐작할 수 있다. 지금 내가 어떤 가치관을 갖고 어떤 행동을 하느냐에 따라. 미래에 어떤 불행이 다가올지 어떤 일로 인해 우울감 속에 의미 없는 하루만을 이어갈지는 역시 알 수 없다. 그렇기에 초조하고 불안하지만 내가 옳다고 생각하는 것들을 실천하고 목표가 있다면 꾸준한 노력으로 현재를 살아간다면 시간은 계속 흘러가지만 우리는 항상 '현재'를 살고 있기에 반복되는 '현재'가 곧 나의 '미래'가 될 것이다.

<시와 관련된 짧은 나의 이야기>

이 시는 내가 평소에 하던 미래에 대한 생각을 바탕으로 쓴 것이다. 예측 불가능한 불운을 걱정하기보다 그 시간에 더 나은 사람이 되기 위한 노력을 하고 실천한다면 그것이 곧 미래를 대비하는 현재를 살아가는 방법이 될 것이라는 생각을 시에 담았다.

<두발자전거>

장민기

두발자전거를 연습했다
계속
연습했다
넘어졌다
연습했다
넘어졌다
온몸에 멍이 들었다
계속 연습했다

균형을 잡았다
페달이 움직인다

두발 자전거를 탈 수 있다.

<시와 관련된 짧은 나의 이야기>

두발자전거를 처음 탄 날 계속 넘어졌다. 계속 넘어지며 연습하고 또 연습했다. 포기를 하고 싶었지만 마지막으로 한 번만 더 해보자는 마음으로 페달을 밟았다. 그때부터 자전거를 탈 수 있게 되었다. 이 경험을 바탕으로 노력하면 된다를 시에 담아보고 싶었다.

<소중한 우리 가족>

박유주

아침에 나갈 때
서로 격려하며 인사하는

저녁에 들어올 땐
서로를 고생했다며 다독이는

지친 하루에
위로를 주는 소중한 우리 가족

<시와 관련된 짧은 나의 이야기>
아침에 집에 더 머물고 싶어도 서로를 응원하고, 저녁에 지쳐서 들어올 때도 서로를 다독이는 우리 가족에게서 영감을 얻었다. 지친 하루에 서로에게 위로를 받으며 힘을 얻었던 경험을 바탕으로 글을 썼다.

<우리 가족>

이승택

내가 제일 힘들 때 나를 놓지 않는
엄마, 아빠, 할머니, 남동생
나를 힘내게 하는 엄마의 응원과 밥
나를 웃게 하는 아빠의 용돈
나를 행복하게 하는 할머니의 입담
나를 재미있게 만드는 남동생의 행동

내가 제일 사랑하는 우리 가족

<시와 관련된 짧은 나의 이야기>

가족에 대해 쓴 시이다. 가족은 친구보다 내 마음을 더 잘 헤아려 주고 엄청나게 소중한 존재라고 나는 생각한다. 늘 가족과 사이좋을 수는 없다. 당연히 싸울 수도 있다. 하지만 나는 가족이기에 그럴 수 있다고 생각한다.

<가족>

지선호

가족은 우리의 보금자리
모든 것을 함께 나누는 곳

어떤 어려움이 닥쳐도
가족과 함께라면
어려움을 이겨낼 수 있어

가족으로 인해 기뻤던 순간은
참 많지만 가장 소중한 것은
우리가 함께할 수 있다는 것

<시와 관련된 짧은 나의 이야기>

가족은 언제나 날 믿고 기다려주기에 가족과 함께하면 어떤 어려움이 닥쳐도 이겨낼 수 있는 것 같다.

<나의 꿈>

전승현

나의 미래는 어떨까?
매일매일 고민해본다.

앞으로 어떻게 살지도 막막하고
뭘 해야할지도 모르겠다

미래의 나는 나의 엄마, 아빠만큼만 되길
남에게 존경받고 행복을 주는 사람이 되길

<시와 관련된 짧은 나의 이야기>

이 시는 내가 느끼는 미래의 불안함에 관해 썼다. 이 시를 쓸 때 고민과 불안감을 느꼈다. 이 시를 쓰면서 내 미래를 고민했는데 나는 돈을 많이 버는 것도 중요하지만 남에게 존경받을 수 있는 존재가 되고 싶다. 이 시를 읽는 독자들도 자신의 미래를 생각해 봤으면 좋겠다.

<미래>

정소윤

하고 싶은 것들은 많지만
잘할 수 있을지 모르겠다.

미래에 내 자신이
지금 내가 생각하는 사람이 되어있을지
확신이 아직 없다.

하지만 미래에 나 자신이
웃고 있었으면 좋겠다.

<시와 관련된 짧은 나의 이야기>

지금 나의 가장 큰 고민이라 쓰면서 많은 생각이 들었다. 그래서 그런지 가장 오랫동안 고민하면서 썼고 뭉클하고 우울한 감정도 들었다.

<시>

박소언

MBTI 극 T인 나에겐 너무 어려운 시

왜 굳이 돌려 말하거나
어떤 것에 비유를 하면서 말할까

왜 내가 화자의 마음을 이해해야 할까
그냥 있는 그대로 받아들이고 싶은데

시는 너무 어렵다
시험 문제도 어렵다

다음 생애는 F로 태어나자

<시와 관련된 짧은 나의 이야기>

국어시험에서 '시' 문제가 유난히 점수가 낮게 나오고, 또 비유법, 의인법 등의 여러가지 표현 방법들은 너무 어렵고, 굳이 왜 돌려 말하나 싶은 내 생각을 적어봤다. 역시 시는 나랑 맞지 않은 것 같다.

<성적>

이은찬

성적은 객관적으로 나를 나타내는 지표라고 생각한다.

선조들이 고안해낸 '본인 가장 쉽게 나타 낼 수 있는 방법' 이 시험이라고 믿는다.

이 성적들이 쌓이고 쌓여 내 브랜드가 되는 것이 아닐까?

<시와 관련된 짧은 나의 이야기>

게임 리그오브레전드의 브랜드 숙련도 5만점 기념으로 쓴 시이다.

<미래>

이혜린

하루에 수십 번 정도 미래에 나는 어떻게 살아가고 있을지 고민한다.
직업은 무엇이며, 어디에 거주하는지, 돈은 벌고 있을지
이런 고민뿐만 아니라
가족들은 잘살고 있는지, 나는 살아있는지와 같은 고민을 한다.

내일도 어떻게 살아야 하는지 막막한데
미래는 얼마나 막막할까?

<시와 관련된 짧은 나의 이야기>

이 시는 미래에 대한 고민, 막막함, 불안함을 바탕으로 작성했다. 미래는 어떻게 흘러갈지 그 누구도 모르기 때문에 정말 막막하고 불안한 감정을 시에 담았다.

<내 인생의 행운>

최성운

가족의 말 한마디에
마음이 아팠지만
위로의 손길에
다시 일어날 수 있어

힘들고 지친 날에도
함께라서 견딜 수 있지
기쁨의 순간들
행복의 기적들

가족이란
상처도 위로가 되는
나의 힘 나의 행복

<시와 관련된 짧은 나의 이야기>

가족과의 갈등으로 마음이 아팠던 순간들, 가족의 위로로 다시 일어섰던 순간들, 그리고 힘들고 지친 날들 속에서도 함께여서 버틸 수 있었던 경험을 반영했습니다. 시를 쓰면서 가족이 주는 위로와 힘을 떠올리며 따뜻함과 감사함을 느꼈습니다. 시를 쓸 때 고민했던 것 시를 쓸 때 가장 고민했던 것은 '균형'이었습니다. 가족이 주는 상처와 위로, 힘들었던 순간과 기뻤던 순간을 표현하려고 했습니다.

<내 꿈>

김민성

10년 후 나는 무엇이 되었을까
그 때 쯤이면 하고 싶은걸 찾았겠지

내가 진정 하고 싶은건 무엇일까
내 적성은 무엇일까
항상 고민한다

내가 좋아하는걸 하는 것
내가 잘 하는걸 하는 것
과연 무엇이 정답일까

오늘도 고민하고 생각한다
10년 후 나는 무엇이 되었을까

<시와 관련된 짧은 나의 이야기>

나는 아직 명확한 꿈을 가지지 못하였다. 따라서 나는 내 꿈과 적성을 찾는 모습을 중요하게 생각하여 이에 대해 작성하였다. 항상 내가 고민하는 주제인 '좋아하는 것을 하는 것이 맞는가 잘하는 것을 하는 것이 맞는가'에 대해 깊게 고민하는 모습을 시에 담았다.

<공원>

백지훈

새는 지저귀고
바람이 살랑살랑 불고
사람들이 이야기하는 소리가 들리는 공원

산책 나온 사람들이 수다 떠는소리
공원 앞 도로를 달리는 자동차 소리

모든 소리가 조화를 이루는 공원은 음악단 같다.

<시와 관련된 짧은 나의 이야기>

시원한 공원에서 시를 쓰니 기분이 좋았다. 지금 이 편안한 감정과 눈앞에 보이는 평화로운 공원의 모습을 소재로 삼아 시를 썼다.

<아픈 손가락>

기민경

아무리 아프고 손이 저려와도
떼어내고 싶어도 떼어낼 수 없는
아픈 손가락

아무리 밉고 가슴이 아파와도
떼어내고 싶어도 떼어낼 수 없는
가족

너무나 싫고 미울때가 있지만
시간이 지나면 아무는 손가락의 상처처럼
나에게 없어서는 안되는 존재가 되어버리는
가족

<시와 관련된 짧은 나의 이야기>

부모님과 다투어도 내가 아무리 화를 내도 결국은 내 편이 되어주는 나에게 없어서는 안 될 존재인 가족을 생각하며 시를 썼다. 마음이 상해도 결국은 나를 생각해 주고 챙겨주는 엄마 아빠 생각이 났다.